YOU'RE THE VO

Maria Callas

IMP

International
MUSIC
Publications

© International Music Publications Limited
Griffin House 161 Hammersmith Road London W6 8BS England

DON'T BE
A MUSIC
COPYCAT!

The copying of © copyright
material is a criminal offence
and may lead to prosecution.

Series Editor: Anna Joyce

Editorial, production and recording: Artemis Music Limited
Design & Production: Space DPS Limited

Published 2001

International MUSIC Publications

Exclusive Distributors:

International Music Publications Limited

England:	Griffin House 161 Hammersmith Road London W6 8BS
Germany:	Marstallstr. 8 D-80539 München
Denmark:	Danmusik Vognmagergade 7 DK1120 Copenhagen K

Carisch

Italy:	Nuova Carisch 20098 San Giuliano Milanese Milano
Spain:	Nueva Carisch España Magallanes 25 28015 Madrid
France:	Carisch Musicom 25, Rue d'Hauteville 75010 Paris

Maria Callas
(born Maria Anna Sofia
Cecilia Kalogeropoulos)
1923 – 1977

During a stage career of little more than a decade, American soprano Maria Callas performed an astonishing range of roles encompassing many different musical and dramatic styles. Her achievement is unparalleled in living memory.

She began her career in roles such as Isolde, Brünnhilde and Äida. After 1949, encouraged at La Scala by her mentor, the Italian conductor Tullio Serafin, she turned toward coloratura bel canto roles, including Norma – which she performed 92 times – and many roles in long-unperformed operas.

Praised for the distinctive colour of her voice, dramatic presence and careful musicianship, she sang principally at La Scala, Rome, Paris, Covent Garden, and the Metropolitan Opera in New York.

"She shone for all too brief a while in the world of opera, like a vivid flame attracting the attention of the whole world, and she had a strange magic which was all her own. I always thought she was immortal - and she is." Tito Gobbi

Now you can sing the best of Maria Callas… YOU'RE THE VOICE……

ADDIO, DEL PASSATO

(from *La Traviata*)

Words by Francesco Piave
Music by Giuseppe Verdi

CASTA DIVA
(from Norma)

Words by Felice Romani
Music by Vincenzo Bellini

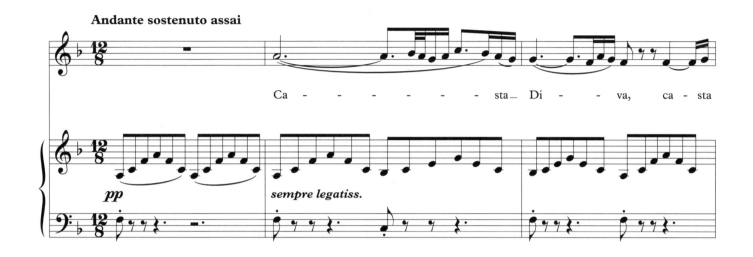

sempre cresc. al *ff*

vol - gi il__ bel__ sem - bian - te, a__ noi

vol - gi, a noi vol - gi_il bel__ sem __ bian - - - - - -

- - - - - - te, il bel__ sem - bian - te, sen - za nu - be_e - sen - za__

f

smorz.

vel, si,

dolce espress.

AVE MARIA
(from Otello)

Words by Arrigo Boito
Music by Giuseppe Verdi

Cantabile
dolce

Pre - ga per chi ado - rando a te si pro - stra,

pp a tempo

dolce

pre - ga____ pel pec - ca - tor, per l'in - no - cen - - te,

e pel de - bo - le op - pres - so e pel pos - sen - te, mi - se - ro an -

f

- ch'es - so, tua pie - tà di - mon - - stra.

p

J'AI PERDU MON EURYDICE

(from Orphee et Eurydice)

Words and Music by Christoph Glück

Andante con moto

Ré - ponds _____ moi. C'est ton é -
-poux, ton é - poux fi - dè - le; en - tends ma voix qui t'ap -
-pel - le, ma voix qui t'ap - pel - le! J'ai per - du mon Eu - ri -
-di - ce, rien n'é - ga - le mon mal - heur; sort cru -

-ment ___ dé - chi - re mon coeur! J'ai per -

Tempo I

-du mon Eu - ri - di - ce, rien n'é - ga - le mon mal -

-heur; sort cru - el! ___ Quel - le ri - gueur, ___ rien ___ n'é -

-ga - le mon mal - heur. Sort ___ cru - el! ___ Quel - le ri -

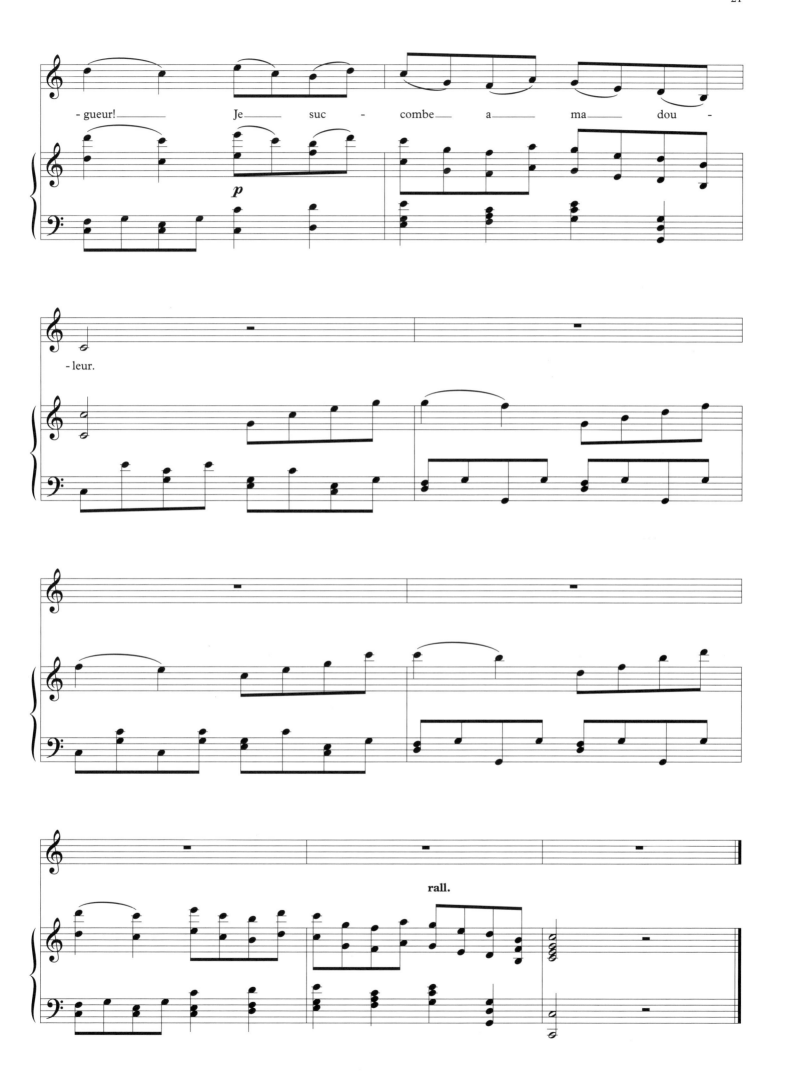

LES TRINGLES DES SISTRES TINTAIENT
(from Carmen)

Words by Henry Meilhac and Ludovic Halevy
Music by Georges Bizet

Andantino ♩=100

Les trin - gles des sis - tres tin - taient av - ec un é - clat mé - tal -

- li - que, et sur cette é - tran - ge mu - si - que les

Zin - ga - rel - las se - le - vaient.

Tam - bours de Bas - que allaient leur train, et les gui - ta - res for - ce -

dim. pp

- né - es grin - çaient sons des mains ob - sti - né - es, Mê - me chan -

- son, mê - me re - frain, mê - me chan - son, mê - me re - frain!

molto rit.   dim. a tempo (♩=108)

colla voce   sempre pp

Tra la la la,_____ tra la la la,_____

tra la la la,_____ tra la la la la la la la,_____

tra la la la,_____ tra la la la,_____

tra la la la,_____ tra la la la la la la la._____

sempre *p*

Les an - neaux de cuivre et d'ar - gent re - lui - saient sur les peaux bi - stré - es D'o - range et de rou - ge zé - bré - es; les é - tof - fes flot - taient au vent.

la.

Les bo - hé - miens à tour de bras de

leurs in - stru - ments fais - saient ra - ge, et cet é - blou - is - sant ta -

- pa - ge en - sor - ce - lait les Zin - ga - ras.

UN BEL DI VEDREMO
(from Madama Butterfly)

Words by Luigi Illica and Giuseppe Giacosa
Music by Giacomo Puccini

tem - po e non mi pe - sa,_____ la lun - ga_at - te - sa.

E_u - sci - to dal - la fol - la cit - ta -

- di - na_____ un uo - mo,_un pic - ciol pun - to s'av -

- via per la col - li - - - na.

Andante come prima

con forza

ff *con molta passione*

ri - - re˘al pri-mo̱ in - con - tro, ed e-gli̱ al-quan-to̱ in pe - na chia - me -

rit.

p

pp

rit.

- rà, chia-me - rà: 'Pic - ci - na mo-gliet-ti - na, o̱ - lez - zo di ver -

- be - na.' I no - mi che mi da - va al suo ve -

- ni - re. Tut-to que - sto̱ av-ver - rà te lo pro - met - to.

cresc.

Tien - ti la tua pa - u - ra, io con si - cu - ra fe - - - de l'a -

poco rall. cresc.

Largamente

- spet - - - to.

meno forte

rit.

pp sostenuto

VISSI D'ARTE
(from Tosca)

Words by Luigi Illica and Giuseppe Giacosa
Music by Giacomo Puccini

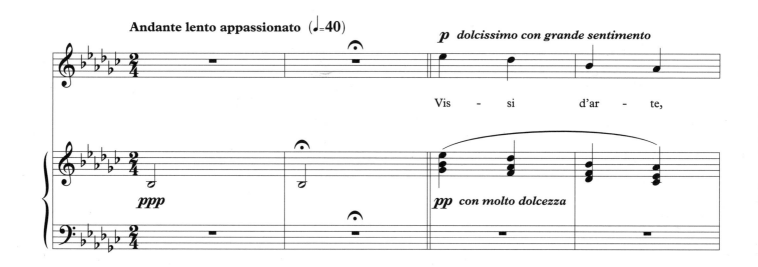

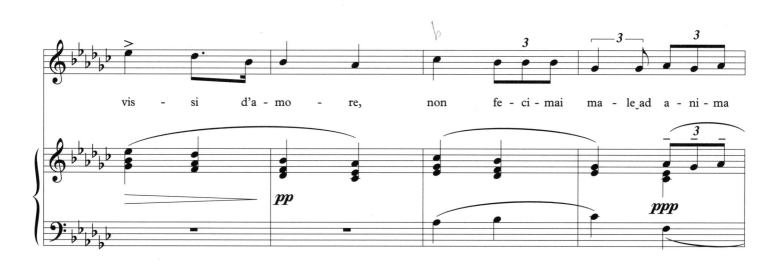

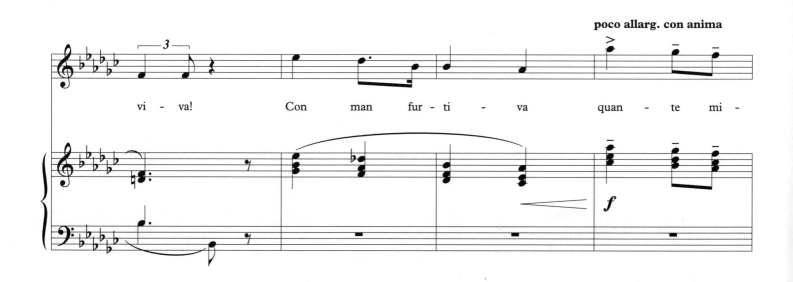

PORGI AMOR
(from *Le Nozze di Figaro*)

Words by Lorenzo da Ponte
Music by Wolfgang Amadeus Mozart

O mi— ren - di il mio te - -so - ro. O mi— la - scia al - men mo - rir, o mi la - scia al - men mo - -rir. Por - gi a - mor qual - che ri - sto - ro al mio duo - lo a miei so - spir. O mi

cresc.

f   p

44

ren - di il mio te - so - ro, o mi la - - - - -

- - scia al - men mo - rir, al - men mo - rir. O mi

ren - di il mio te - so - ro, o mi la - scia al - men mo -

- rir.